Título original: *Nelson Mandela*
© 2001 Éditions Mango Jeunesse / Album Dada
para las imágenes de William Wilson

Primera edición en español:
D. R. © 2004 Ediciones Tecolote, S.A. de C.V.
Gob. José Ceballos 10
Col. San Miguel Chapultepec
11850 México, D.F.
Tel / Fax (55) 5272 8139 / 8085
www.edicionestecolote.com
tecolote@edicionestecolote.com

Coordinación editorial: Ma. Cristina Urrutia
Traducción: Arturo Vázquez Barrón
Corrección: Patricia Rubio Ornelas
Adaptación de diseño y tipografía: Judith Mazari Hiriart

ISBN: 968-7381-82-5

Impreso y hecho en México • *Printed in Mexico*

Nelson

MANDELA

LEVANTA EL PUÑO, RADIANTE. GRITA: *"¡AMANDLA!"*
LA MULTITUD LE CONTESTA: *"¡NGAWETHU!"*[1]

Los hombres que marcan su siglo son excepcionales. Más aun, aquellos cuyos actos cambian las conciencias y la historia de un país, conmueven por su valentía y su determinación. Solemos admirar al creador, al científico, al campeón… Solemos admirar la generosidad y la entrega. Pero no resulta tan común que la admiración y la emoción nos conmuevan.

El 11 de febrero de 1990 Nelson Mandela salió de la cárcel después de 27 años de encierro. En el mundo entero lloraron hombres y mujeres, luego rieron, y después cantaron y gritaron de alegría ante el anuncio de su liberación. Se había vuelto un mito. Una vida de combate por la libertad. Una vida de combate desinteresada. Una trayectoria consagrada a ideas sencillas: la democracia; es decir la libertad, la solidaridad, la paz entre los pueblos. *Rolihlahla*, "el que crea problemas", triunfó sobre todos los obstáculos para lograr abolir el *apartheid*. Y llevó consigo la esperanza no sólo de su pueblo sino la de todos los prisioneros, exiliados, excluidos, opositores…

Su destino queda trazado desde la infancia: las sentencias de los *griots*[2] se refieren a la libertad perdida. Más tarde descubre la segregación, las humillaciones. Digno, insurrecto, sediento de justicia, Mandela se alza para liberar a su pueblo. El poder blanco intentó quebrarlo, acallar su voz: él hizo de ese intento una leyenda cuya epopeya difícilmente se olvidará.

Personaje solar, Nelson Mandela irradia con una generosidad que hace que su vida y sus actos se confundan con la historia de su país. Podemos imaginarlo, durante esos años interminables, nunca derrotado, nunca sometido. Avanza. Se abre paso entre la multitud. Enfrenta, con tranquilidad, determinación y ánimo inquebrantable, los más áridos caminos. Mandela atraviesa y vence los caminos terribles de la opresión; los ilumina con su valentía indomable, y esto es lo que William Wilson supo transmitir con imágenes de luz y color que narran la apasionada vida de esta figura legendaria, nacida para darle al mundo fuerza, dignidad y valentía.

HÉLIANE BERNARD
ALEXANDRE FAURE

Nelson

MANDELA

Ilustraciones: William WILSON

EDICIONES
TECOLOTE

No tenía más de cinco años cuando empecé a cuidar borregos y vacas en los prados. Descubrí el apego casi místico de los *xhosas*[3] por el ganado, no sólo como fuente de alimento y de riqueza, sino como bendición de Dios y fuente de ventura. Fue en las praderas donde aprendí a matar pájaros con una honda, a recoger miel silvestre, frutos y raíces comestibles, a beber la leche caliente y dulce de la ubre de la vaca, a nadar en los riachuelos claros y fríos, y a atrapar peces con un hilo y un alambre afilado ... A esa época se remonta mi amor por el *veld*,[4] por los grandes espacios, por la belleza sencilla de la naturaleza, por la línea pura del horizonte.

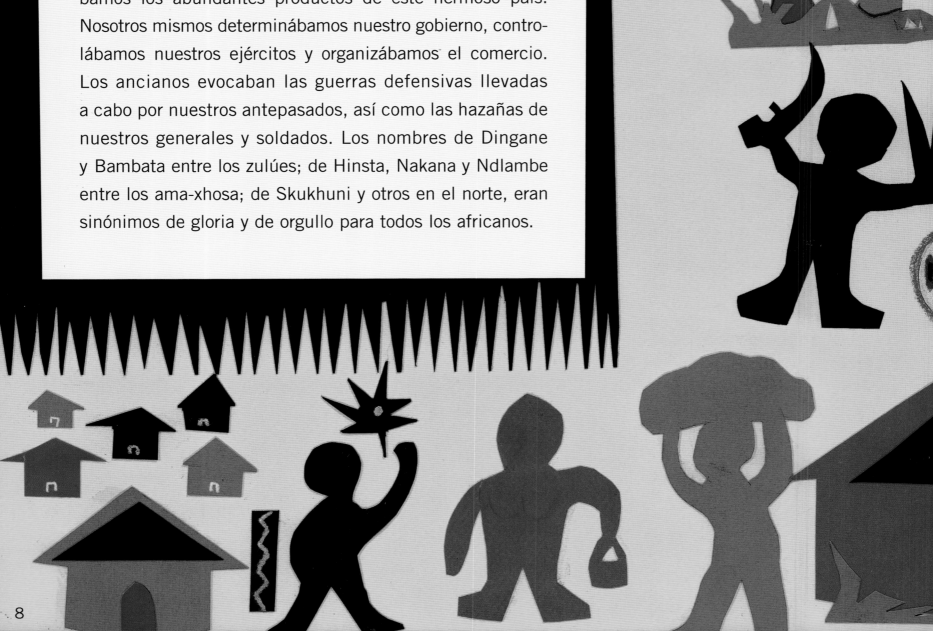

H ace muchos años, siendo un joven aldeano de Transkei, escuchaba a los ancianos de la tribu contar sus historias de los buenos viejos tiempos, antes de la llegada del hombre blanco. Nuestro pueblo entonces vivía en paz, bajo el régimen democrático de los reyes y de los *amapakati,*[5] y se desplazaba libremente y sin miedo por el país, sin restricción alguna … extraíamos las riquezas minerales del suelo y cosechábamos los abundantes productos de este hermoso país. Nosotros mismos determinábamos nuestro gobierno, controlábamos nuestros ejércitos y organizábamos el comercio. Los ancianos evocaban las guerras defensivas llevadas a cabo por nuestros antepasados, así como las hazañas de nuestros generales y soldados. Los nombres de Dingane y Bambata entre los zulúes; de Hinsta, Nakana y Ndlambe entre los ama-xhosa; de Skukhuni y otros en el norte, eran sinónimos de gloria y de orgullo para todos los africanos.

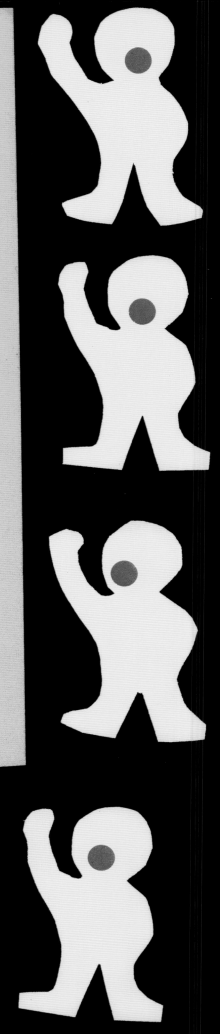

Un niño africano nace en un hospital reservado para africanos, regresa a su casa en un autobús especial para africanos, vive en un barrio destinado a los africanos, y va a una escuela sólo para africanos... en caso de que vaya a la escuela.

Cuando crece, no puede tener más que un empleo especial para africanos, rentar una casa en un barrio sub-urbano sólo para africanos, viajar en trenes especiales para africanos, y lo pueden detener a cualquier hora del día o de la noche ordenándole presentar un pase de identificación, y si no lo hace, lo llevan a la cárcel. Su vida está circunscrita por leyes y reglamentos racistas que mutilan su desarrollo, lo privan de oportunidades y sofocan su vida. Ésa era la realidad y se podía afrontar de mil maneras diferentes. No tuve ningún instante excepcional, ninguna revelación, ningún momento de verdad, pero la constante acumulación de miles de afrentas, de miles de humillaciones, de miles de instantes olvidados, generó en mí una furia, un espíritu rebelde, el deseo de combatir al sistema que aprisionaba a mi pueblo.

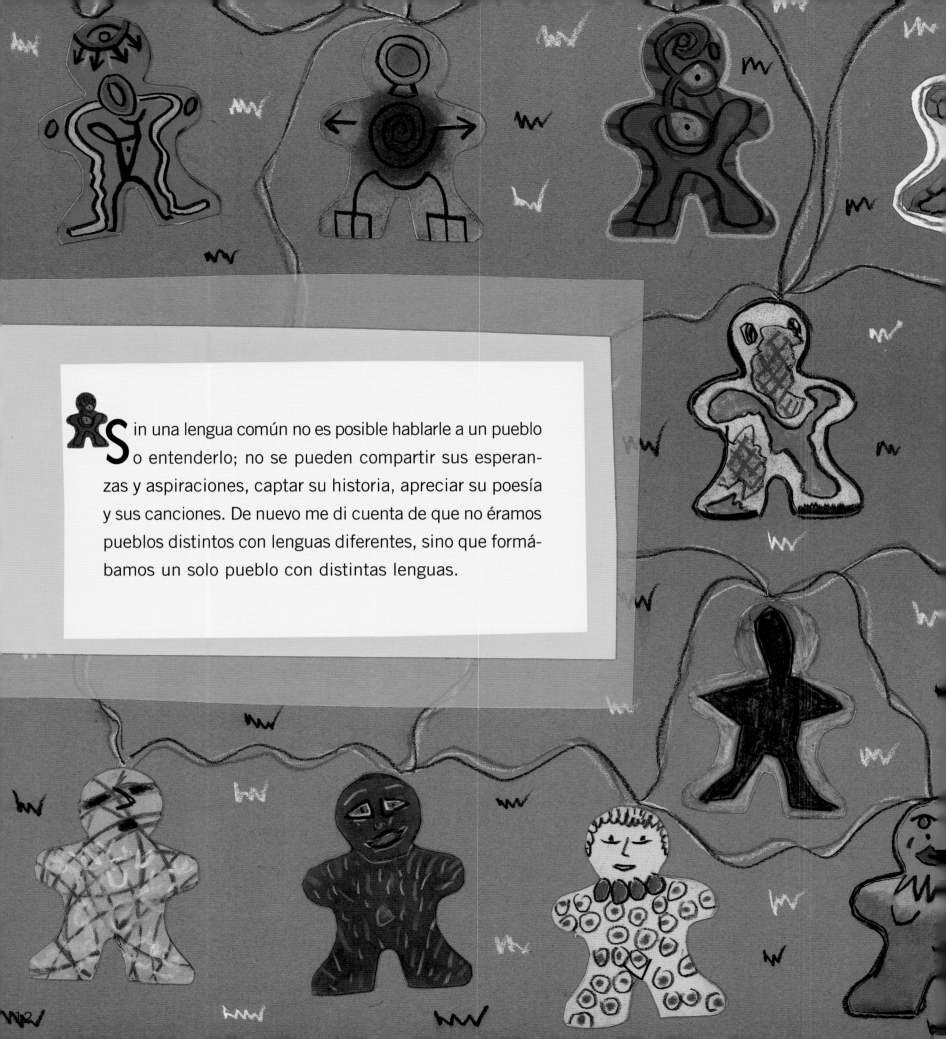

S in una lengua común no es posible hablarle a un pueblo o entenderlo; no se pueden compartir sus esperanzas y aspiraciones, captar su historia, apreciar su poesía y sus canciones. De nuevo me di cuenta de que no éramos pueblos distintos con lenguas diferentes, sino que formábamos un solo pueblo con distintas lenguas.

El nacionalismo africano era nuestro grito de guerra, y nuestro credo: la creación de una nación compuesta por diferentes tribus, el derrocamiento de la supremacía blanca y el establecimiento de una forma de gobierno verdaderamente democrática.

Un combatiente de la libertad aprende de manera brutal que el opresor es quien define la naturaleza de la lucha, y a menudo al oprimido no le queda más recurso que utilizar métodos que reflejan los del opresor. Llega el momento en que sólo puede combatirse el fuego con el fuego.

Sebatana ha se bokwe diatla: No puede desviarse el ataque de una bestia salvaje con las manos vacías.

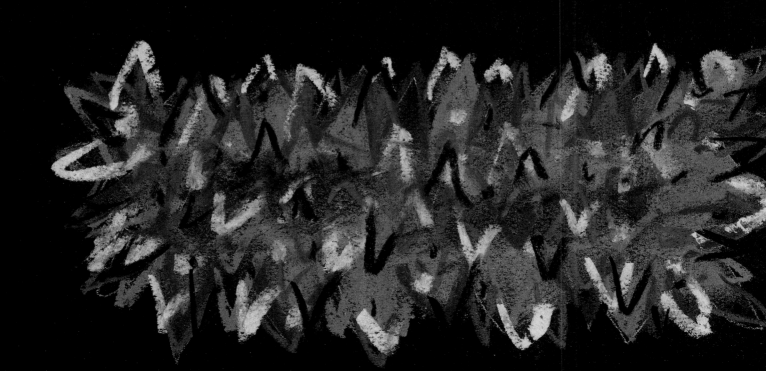

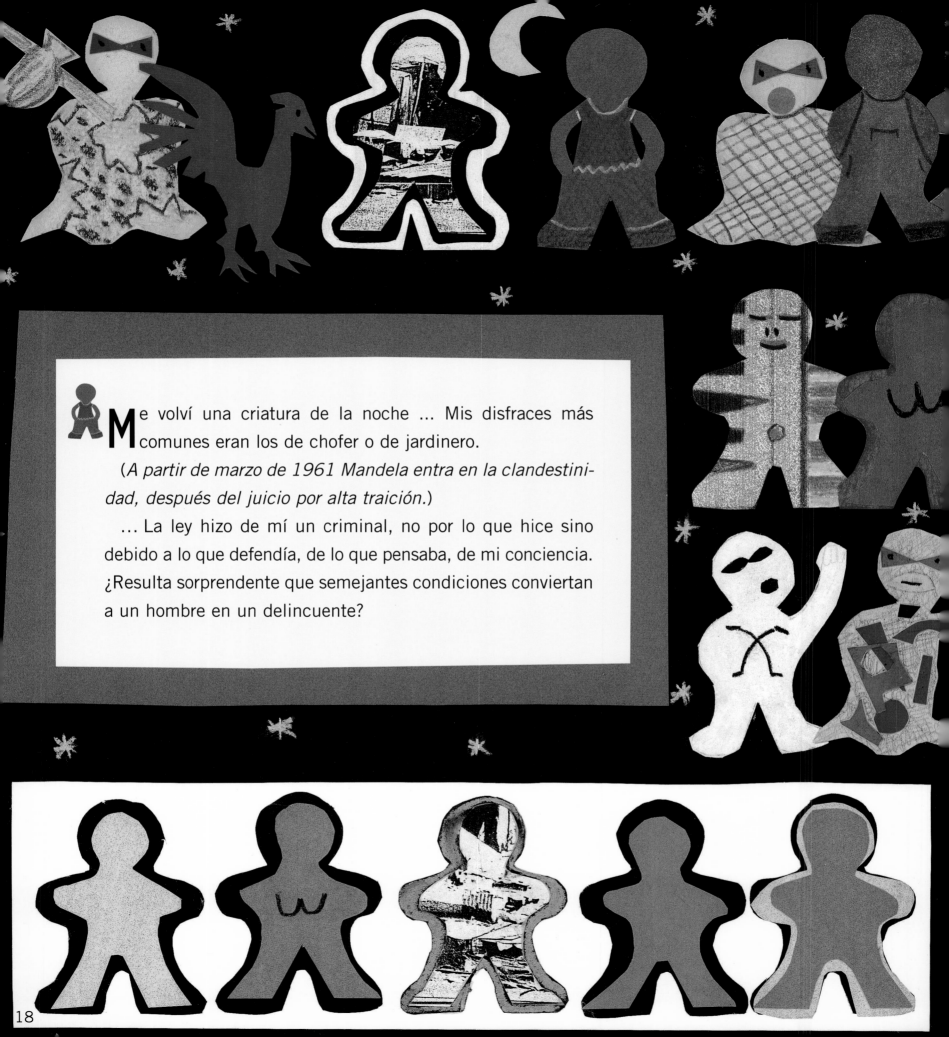

Me volví una criatura de la noche ... Mis disfraces más comunes eran los de chofer o de jardinero.

(*A partir de marzo de 1961 Mandela entra en la clandestinidad, después del juicio por alta traición.*)

... La ley hizo de mí un criminal, no por lo que hice sino debido a lo que defendía, de lo que pensaba, de mi conciencia. ¿Resulta sorprendente que semejantes condiciones conviertan a un hombre en un delincuente?

No podremos lograr la victoria más que pasando pruebas, el sacrificio y la acción militante. La lucha es mi vida. Seguiré combatiendo por la libertad hasta el final de mi existencia.

Odio las discriminaciones raciales, así como todas sus manifestaciones, con todas mis fuerzas. Las he combatido mi vida entera. Las combato en este momento, y las combatiré hasta el final de mis días. Detesto todo lo que aquí me rodea ... Me hace sentir que soy un hombre negro en un tribunal de hombres blancos. Y eso es algo que no debería de ser.

WHITES (ONLY)
BLANKES (ALLEEN)
→

NON-WHITES
NIE-BLANKES
←

Las mujeres desempeñaron un papel esencial en nuestra lucha. Ellas se unieron. Y su solidaridad reflejaba ya nuestro proyecto de sociedad democrática.

... Racismo y sexismo son inseparables. De la misma manera en que luchamos contra el racismo, lucharemos contra el sexismo, que es otra forma de racismo. Las mujeres ejercen un papel fundamental en nuestra sociedad. Los hombres deben aceptarlas como sus iguales.

"**A**cusado número uno, Nelson Mandela, ¿se declara usted culpable o inocente?"

"No soy yo sino el gobierno el que debería de estar en el banquillo de los acusados. Me declaro inocente ... El hombre blanco hace la ley, nos arrastra a sus tribunales, nos acusa y se sienta por encima de nosotros para juzgarnos ... ¿Por qué razón me encuentro en este tribunal ante un magistrado blanco, confrontado con un procurador blanco y escoltado hasta el banquillo de los acusados por un guardia blanco?"

Desde el principio demostramos claramente que queríamos utilizar el juicio no como una práctica legal sino como una tribuna para expresar nuestras convicciones ... Lo que nos interesaba no era escapar a una condena o atenuarla, sino utilizar el juicio para fortalecer la causa por la que combatíamos, cualquiera que fuera el precio a pagar ... Considerábamos el juicio como otro medio para continuar nuestra lucha.

MANDELA

FREE

FREE

FREE

FREE MANDELA!!

27

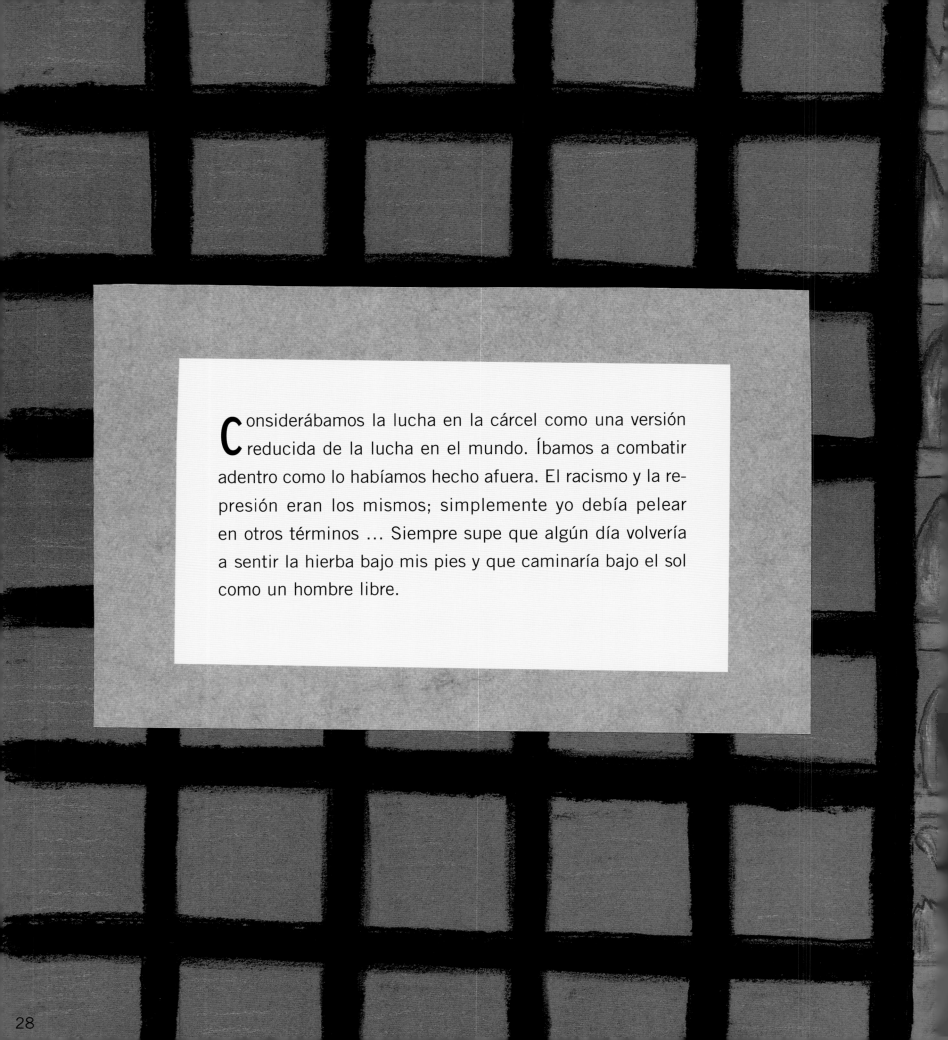

Considerábamos la lucha en la cárcel como una versión reducida de la lucha en el mundo. Íbamos a combatir adentro como lo habíamos hecho afuera. El racismo y la represión eran los mismos; simplemente yo debía pelear en otros términos ... Siempre supe que algún día volvería a sentir la hierba bajo mis pies y que caminaría bajo el sol como un hombre libre.

Lo que tiene de extraño y de hermoso la música africana es que devuelve el ánimo, aun si cuenta una historia triste. Incluso si se es pobre, si se habita una casa en ruinas, si se ha perdido el trabajo, esta música da nuevas esperanzas ... La política puede ser reforzada por la música, pero la música tiene un poder que desafía a la política.

Cada noche, en Pretoria, antes de apagarse las luces, la prisión retumbaba con los cantos de libertad que entonaban los detenidos. También nosotros participábamos en ese coro inmenso.

Se dice que nunca se conoce un país hasta no estar en sus cárceles. No debería de juzgarse a una nación por la manera en que trata a sus ciudadanos más ricos sino por su actitud hacia los más pobres, y Sudáfrica trataba a sus ciudadanos africanos encarcelados como animales ... Nuestra celda colectiva se volvió una especie de congreso de combatientes por la libertad.

Salí al balcón y vi un infinito mar de gente que gritaba, que levantaba banderas y banderolas, que aplaudía y reía. Levanté el puño y la multitud contestó con un clamor colosal ... Grité: "*¡Amandla!*" La multitud exclamó: "*¡Ngawethu!*" ...

"Amigos, camaradas, compañeros sudafricanos. ¡Los saludo en nombre de la paz, de la democracia y de la libertad para todos! Me presento ante ustedes, no como un profeta sino como su humilde servidor, de ustedes, el pueblo. Sus sacrificios incansables y heroicos me han permitido estar hoy aquí. Y pongo en sus manos los años que me quedan por vivir."

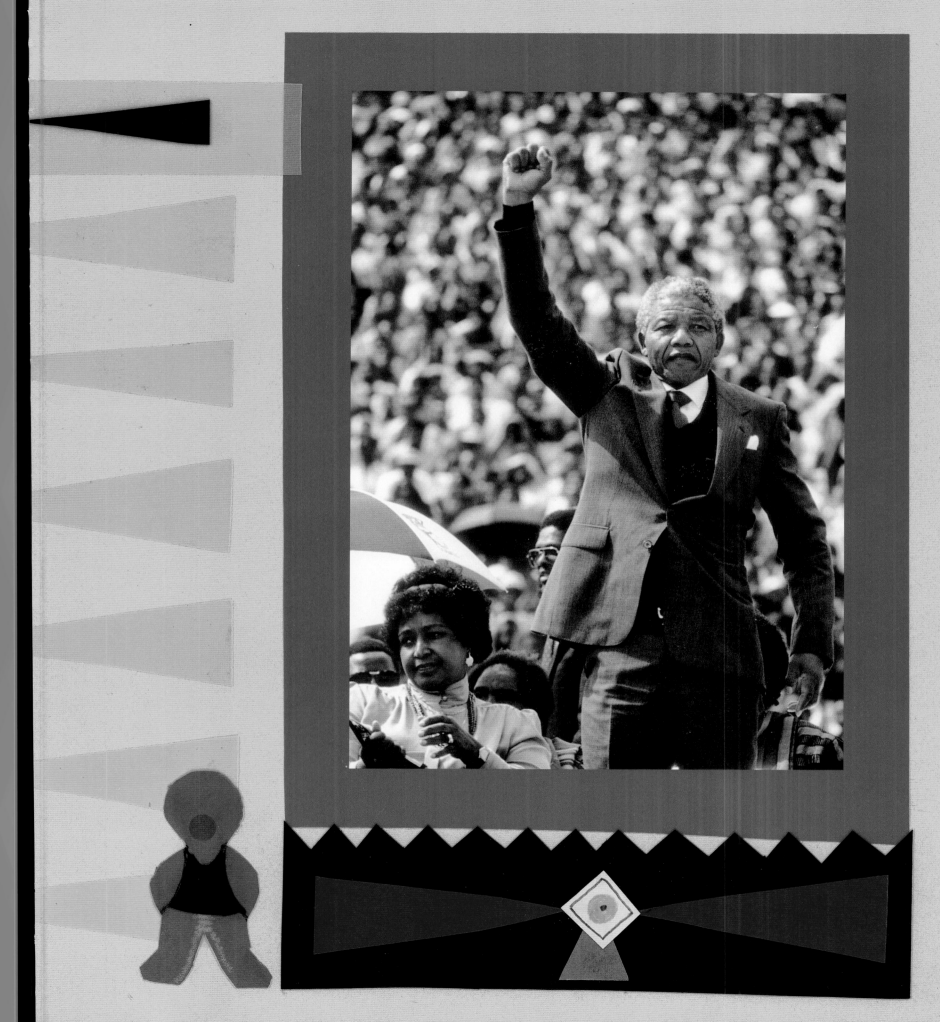

Un dirigente también debe cultivar su jardín: del mismo modo él siembra semillas, las vigila, las cuida y cosecha su fruto. Como un jardinero, un dirigente político es responsable de lo que cultiva; debe poner atención en su trabajo, debe evitar que brote hierba mala, conservar aquello que se puede y eliminar lo que se malogre.

Voté el 27 de abril, el primero de los cuatro días de comicios. Había decidido votar en Natal ... porque allí era donde John Dube, el primer presidente del Congreso Nacional Africano (CNA), estaba enterrado ... Deposité mi boleta en la urna cercana a su tumba, cerrando así el ciclo histórico, ya que la misión que él había comenzado ochenta y dos años antes estaba a punto de terminar.

... Cuando me acercaba a la casilla de votación, evoqué el recuerdo de los héroes que habían caído a fin de que pudiera encontrarme ahí; a esos hombres y mujeres que habían hecho un sacrificio supremo por una causa finalmente triunfante. Pensé en Oliver Tambo y en Chris Hani, en el jefe Luthuli y en Bram Fischer. Pensé en nuestros grandes héroes africanos que se inmolaron para que millones de sudafricanos pudieran acudir a votar ... Este día, el 27 de abril de 1994, no entré solo a la casilla; todos ellos me rodeaban cuando deposité mi boleta.

... Las imágenes de los sudafricanos dirigiéndose a las casillas de votación se me quedaron grabadas en la memoria. Largas filas de gente paciente serpenteando en los caminos lodosos o en las calles de las ciudades; ancianas, que habían esperado medio siglo para poder votar, que decían tener por primera vez en su vida la impresión de ser seres humanos, y también blancos, hombres y mujeres, que afirmaban estar orgullosos de vivir por fin en un país libre.

La libertad es buena. Pero la educación es aun mejor, porque la Sudáfrica democrática requiere no sólo de la liberación de la mayoría negra sino también de la capacidad de hacerse responsable de sí misma.

No nací con hambre de libertad. Nací libre, libre en las modalidades que conocía … No fue sino hasta que aprendí que la libertad de mi infancia era una ilusión y que descubrí, siendo joven, que me habían quitado mi libertad, cuando empecé a tener hambre de ella … Mi hambre de libertad personal se volvió hambre de libertad para mi pueblo … El hambre de libertad para mi pueblo se volvió hambre de libertad para todos, blancos y negros.

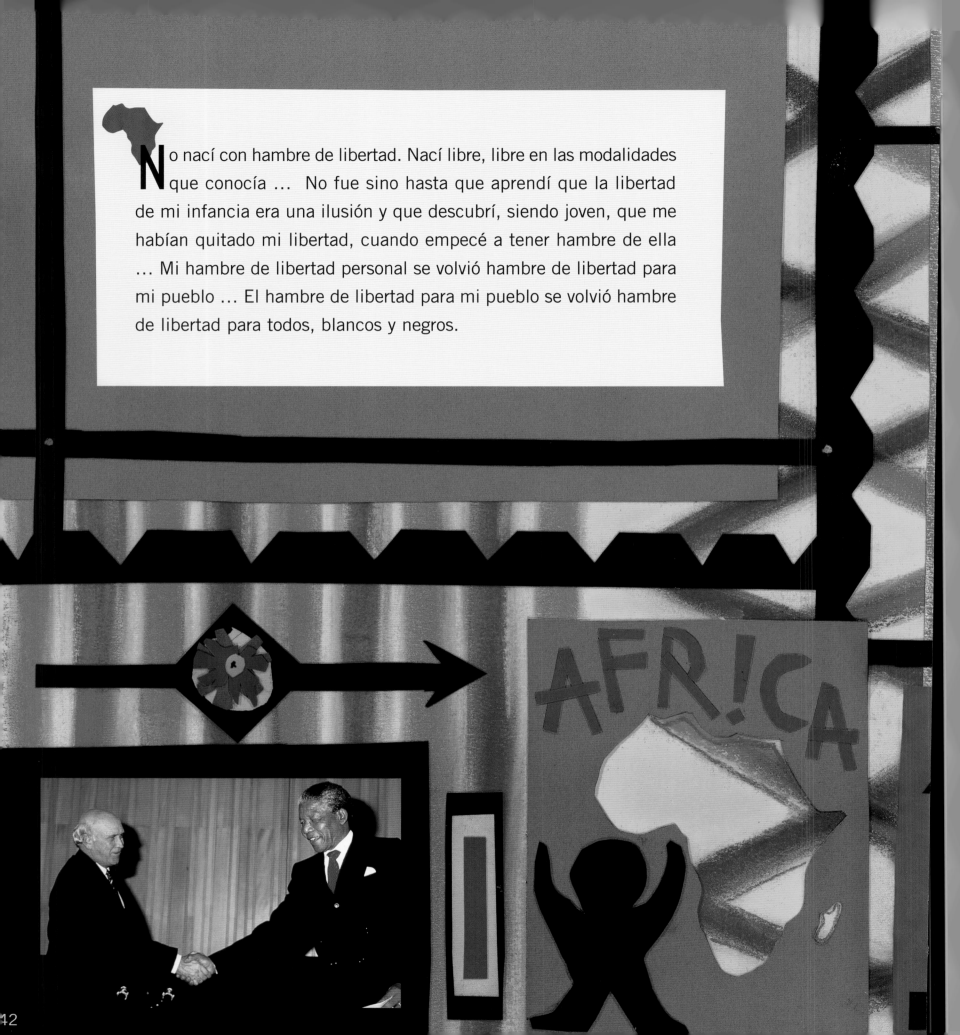

11 de febrero de 1990: un grito en la comunidad negra de Sudáfrica, en África, en el mundo, titular de primera plana en los diarios, noticia principal en la radio y en la televisión mundial: ¡Nelson Mandela está libre! El hombre de la valentía indomable, de la sonrisa radiante, de la risa afectuosa, cruza una puerta: libre, está libre después de 27 años de encierro, después de decenios de lucha, de combate. Una vida que es una epopeya. La vida de un hombre que se volvió un mito, ¡el símbolo de la liberación de los negros!

Nelson Mandela, quien nació el 18 de julio de 1918 en Mwezo, pequeño poblado de Transkei, en una tribu xhosa, pertenece a la familia real de los tembos. Su nombre de pila africano es Rolihlahla, "el que crea problemas", y su nombre de clan, Madiba. Mucho influyeron en Rolihlahla su infancia en un pueblo tradicional y los relatos de los ancianos que versaban sobre un tiempo anterior al hombre blanco, un tiempo cuando reinaban la democracia, la solidaridad y la libertad.

En 1928, después de la muerte de su padre, lo confían a su primo Jongintaba Daweto, rey de los tembos. Iniciado en 1934, entra ese mismo año al colegio metodista de Healdtown. En 1939 ingresa a la Universidad "para negros" de Fort Hare. Tiene veinte años y es un atleta excepcional, hermoso, elegante y apasionado del box. Al ser expulsado de la Universidad por participar en una huelga, regresa con su tutor, rehúsa casarse y huye a Johannesburgo para emprender estudios de Derecho. Se convierte en abogado para defender las causas de su pueblo. En 1943 trabaja como asistente en un bufete de abogados blancos donde se ejerce un racismo cotidiano, insidioso y humillante que le recuerda las leyes de segregación que desde un siglo antes instauraron los neerlandeses, esos bóers –o afrikaners– llegados en el siglo XVII que saquearon, explotaron y despreciaron a los negros.

Día con día se da cuenta, porque él, su familia y su pueblo lo sufren, de que ésas son las leyes que convierten a su gente en esclavos a merced de los blancos. Después de la creación de la Unión Sudafricana en 1910 (que en 1961 se convertirá en la República de África del Sur), el poder blanco promulga la Ley Nativa de Regulación del Trabajo, que prohíbe a todo africano dejar su empleo bajo pena de persecución penal; la Ley de Minas y Oficios, que instituye la primera barrera racial en el ámbito laboral; y por último, la Ley de la Tierra Nativa (1913), que niega a los negros la facultad de poseer más de 7.3% del territorio nacional. Estos tres estatutos sentarán la base de las leyes del *apartheid* (régimen de segregación racial) en 1950.

En respuesta, la comunidad negra crea, en 1912, el Congreso Nacional Sudafricano de Nativos, más tarde denominado Congreso Nacional Africano (CNA); la primera organización negra permanente, nacionalista, cuya reivindicación principal es la *Franchise*, que otorga el derecho de voto a los negros en la provincia de El Cabo, con la condición de que sean propietarios, una facultad que buscan mantener y extender a toda Sudáfrica. El CNA preconiza el diálogo. Los blancos hacen oídos sordos. Suprimen la *Franchise* en 1935 y prohíben el derecho de huelga en 1942. El CNA no reacciona y Mandela, con un grupo de amigos, decide hacerlo. Esto será en 1944, y bajo el liderazgo de Anton Lembede fundan la Liga de la Juventud del CNA. Nelson Mandela forma parte del comité de dirección, en lo que constituye su primer compromiso político oficial. En 1948 el Partido Nacional, dirigido contra los británicos y los no blancos, gana las elecciones. Para aplicar el *apartheid*, la Unión Sudafricana se retira de la Commonwealth.[6] A partir de 1950 los individuos son clasificados por razas y tienen un lugar de residencia obligado. Se proscriben las relaciones sexuales entre blancos y negros. El Partido Comunista es declarado ilegal. Entonces los movimientos *antiapartheid* convocan a una huelga general para el 1 de mayo de 1950: el saldo de los enfrentamientos es de 19 muertos. Mandela pensaba que la libertad no provendría más que del

pueblo, y que la lucha para ganarla ya había comenzado. Los indios, los mestizos, el Partido Comunista y los jóvenes de la Liga se unen: "Más vale sacrificarlo todo por la libertad que vivir como esclavos". La toma de conciencia ya es nacional. Nelson Mandela, presidente desde poco antes de la sección del CNA en Transvaal, se traza una ruta: fortalecer la organización, reclutar, formar y establecer alianzas tanto nacionales como internacionales. Mandela es detenido. Comprende que es necesario comenzar la resistencia clandestina. En 1955 participa en la elaboración de la *Carta por la Libertad*, el programa político del CNA, que se presenta en el Congreso del Pueblo. Con base en este documento se entablarán las negociaciones en 1990.

En respuesta a la *Carta por la Libertad*, en diciembre de 1956 arrestan a Mandela, junto con 156 personas, acusado de alta traición, y lo conducen al fuerte de Johannesburgo. El apoyo popular es tal que el proceso se alarga hasta el 29 de marzo de 1961. Resultado: absolución general. En el curso de estos años la vida personal de Nelson Mandela cambia. Se casa con Evelyne Ntoko Mase en 1944. Mal que bien, trabaja con su amigo Tambo en el primer bufete de abogados negros de Sudáfrica, que abrieron juntos. Se divorcia en 1956 y conoce a Nomzamo Zaniewe Winnifred Madikizela (Winnie), con quien se casa en 1958.

Después del veredicto de 1961 Mandela, sabiéndose amenazado, entra en la clandestinidad. Da comienzo una vida errante, nocturna. Incansable, organiza reuniones, escribe discursos y volantes. En 1962 emprende un recorrido por África, va a Addis Abeba, en Etiopía, con Tambo y una delegación del CNA, a la Conferencia del Movimiento Panafricano. En una alocución rotunda, declara necesaria la lucha armada para la liberación. Es durante este viaje que por primera vez, a los 44 años, vive como un hombre libre.

A su regreso, el 5 de agosto de 1963, es arrestado. El juicio de Rivonia (octubre de 1963-junio de 1964) que sigue a su detención, constituye el de las aspiraciones del pueblo africano, afirma Mandela, que asume su propia defensa. Condenados a cadena perpetua, en la terrible prisión de Robben Island, él y sus compañeros hacen de este lugar de degradación donde privan espantosas condiciones físicas, psicológicas y climáticas, el núcleo de la resistencia al poder. "Para cada preso político, el desafío es mantenerse intacto", escribe Mandela. El grupo organiza estudios, huelgas de hambre y sistemas de comunicación con el exterior.

Afuera hay agitación. El 16 de junio de 1976 veinte mil escolares negros se manifiestan en las calles de Soweto contra la ley que impone el afrikaans, la lengua del opresor. La cifra de muertos asciende a más de mil. Matanzas. Represión. Violencia. Soweto se convierte en un símbolo en la historia de Sudáfrica: esta vez el mundo interviene. Mandela demanda la unidad de los movimientos *antiapartheid* y la intensificación de las acciones para que negros, blancos, indios y mestizos vivan en igualdad en territorio sudafricano. En Robben Island, Mandela empieza a ser molesto. La presión internacional es cada vez más fuerte. Así, el 1 de abril de 1982 transfieren al grupo de Rivonia a la prisión de Pollsmoor, al sur de El Cabo. En 1988 Mandela enferma de tuberculosis. En el gobierno cunde el pánico. Al prisionero más famoso del mundo lo atienden en la mejor clínica de El Cabo, y luego lo trasladan a la prisión Victor Vester, en Paarl. Al año siguiente Frederik de Klerk, presidente de Sudáfrica, libera al grupo de Rivonia.

El 11 de febrero de 1990 Mandela sale libre. Tiene 71 años. Pasó 27 años en prisión y ganó. El 6 de agosto el CNA abandona la lucha armada. El 30 de junio de 1991 se suprime el *apartheid*. El 15 de octubre de 1993 Nelson Mandela y Frederik de Klerk ganan el Premio Nobel de la Paz. El 27 de abril de 1994 se celebran elecciones libres en Sudáfrica. Mandela vota por primera vez.

William Wilson nació en Tours, Francia, en 1952, de madre francesa y padre togolés, con el alma y el cuerpo divididos entre Europa y África. A los dieciocho años, cuando llega a París, descubre ahí el mundo de los artistas. Desde entonces, corre de uno a otro polo, elegante y despreocupado, y de la contemplación del mundo extrae obras llenas de fantasía. Artista plástico de expresiones múltiples, expone, trabaja y viaja un poco por los cinco continentes. Es autor, entre otros libros para jóvenes, de un álbum dadá: *La Déclaration Universelle des Droits de l'Homme* (La Declaración Universal de los Derechos Humanos), publicado con motivo de los cincuenta años de su proclamación.

Notas del editor en español

[1] *Amandla*: Palabra de origen xhosa que significa "poder". *Ngawethu* quiere decir "al pueblo". La frase compuesta forma "¡Poder al pueblo!"

[2] *Griot*: Juglar del África negra, depositario de la cultura oral.

[3] *Xhosa*: Nombre de una de los grupos étnicos de Sudáfrica. También así se denomina a uno de las once idiomas oficiales de ese país.

[4] *Veld*: "Pradera". Paisaje típico de Sudáfrica; se podría calificar como sabana semiárida.

[5] *Amapataki*: "Mediadores". Grupo de alto rango que detentaba el conocimiento de la historia de la tribu y de sus costumbres, y cuyas opiniones eran de gran peso.

[6] *Commonwealth*: Comunidad o federación de colonias bajo el dominio de Gran Bretaña.

Referencias

PÁGINAS

6. Extracto de *Un long chemin vers la liberté*, autobiografía traducida del inglés de Sudáfrica al francés por Jean Guiloineau, Livre de poche, 1995, p. 15.
8. Extracto de *Nelson Mandela, L'Apartheid*, éditions de Minuit, 1985.
10. Extracto de *Un long chemin vers la liberté, op. cit.*, pp. 117-118.
12. *Ibidem*, p. 105.
14. *Ibid.*, p. 123.
16. *Ibid.*, pp. 203 y 327.
18. *Ibid.*, pp. 321 y 398-399.
20. *Ibid.*, p. 333.
22. *Ibid.*, p. 391.
24. Entrevistas con Heidi Holland publicadas en *Vogue* (diciembre de 1993 y enero de 1994); traducción del inglés al francés de Vincent Noce.
26. Extracto de *Un long chemin vers la liberté, op. cit.*, p. 42.
    Extracto de Jean Guiloineau, *Nelson Mandela*, ediciones Payot et Rivages, 1994, pp. 229-230.
    Extracto de *Un long chemin vers la liberté, op. cit.*, p. 435.
28. *Ibidem*, pp. 473-474.
30. *Ibid.*, pp. 219 y 459.
32. *Ibid.*, p. 244.
34. *Ibid.*, pp. 680-681.
36. *Ibid.*, p. 591.
38. *Ibid.*, pp. 746-747.
40. Extracto de Jean Guiloineau, *Nelson Mandela, op. cit.*, p. 282.
42. Extracto de *Un long chemin vers la liberté, op. cit.*, p. 754.

CRÉDITOS FOTOGRÁFICOS: portada - © Ian Berry / MAGNUM PHOTOS; p. 7 - © George Rodger / MAGNUM PHOTOS
p. 9 - © Eli Weinberg / MAYIBUYE CENTRE; p. 11 - © Ian Berry / MAGNUM PHOTOS
p. 13 - © Ian Berry / MAGNUM PHOTOS; p. 15 - © Patrick Zachmann / MAGNUM PHOTOS
p. 16 - © Ian Berry /MAGNUM PHOTOS; p. 17 - © Ian Berry / MAGNUM PHOTOS; p. 19 - © J. Nachtwey / MAGNUM PHOTOS
p. 21 - © Ian Berry / MAGNUM PHOTOS; p. 23 - © Ian Berry / MAGNUM PHOTOS; p. 25 - © Leonard Freed / MAGNUM PHOTOS
p. 27 - © Eli Reed / MAGNUM PHOTOS; p. 29 - © MAGNUM PHOTOS; p. 31 - © Ian Berry / MAGNUM PHOTOS
p. 32 - © Chris Steele Perkins / MAGNUM PHOTOS; p. 33 - Ian Berry / MAGNUM PHOTOS
p. 35 - © MAGNUM PHOTOS; p. 37 - © Richard Kalvar / MAGNUM PHOTOS
p. 38 - © Paul Weinberg / Independent Electoral Commission; p. 39 - © Ian Berry / MAGNUM PHOTOS
p. 40 - © Ian Berry / MAGNUM PHOTOS; pp. 40-41 - © Abbas / MAGNUM PHOTOS
p. 41 - © Ian Berry / MAGNUM PHOTOS; p. 42 - D.R. / Embajada de África del Sur en París
p. 43 - © Ian Berry / MAGNUM PHOTOS

NELSON MANDELA
se terminó de imprimir en el mes de junio de 2004 en los talleres de Offset Rebosán.
Av. Acueducto 115, col. Huipulco, México, D.F.
La edición constó de 2 000 ejemplares.